Aux petits cœurs, grand amour.
G. C.

Pour Rosalie et Félicien.
Kerascoët

Conception graphique : Marie Pécastaing

© 2017 Albin Michel Jeunesse
22, rue Huyghens, 75014 Paris – www.albin-michel.fr
Loi 49-956 du 16 juillet 1949 sur les publications destinées à la jeunesse
Dépôt légal : premier semestre 2017 – N° d'édition : 22672
ISBN-13 : 978 2 226 39777 5 – Imprimé en France chez Pollina S.A.- L80690.

Géraldine Collet • Kerascoët

Petit cartable
GRANDE
JOURNÉE

ALBIN MICHEL JEUNESSE

Petit matin. Grande journée !

Grandes tartines. Petit bol.

Gros nuages. Petit gilet.

Petit cartable. Grande école.

Petites lettres. Grand mot.

Petite pluie. Grand arc-en-ciel.

Petites bottes. Grande joie !

Grande faim. Petite fourchette.

Grande serviette. Petite tache.

Grande fatigue. Petite sieste.

Petite araignée. Grande peur !

Petit bobo. Gros pansement.

Petites mains. Grande ronde.

Grands pinceaux. Petits dessins.

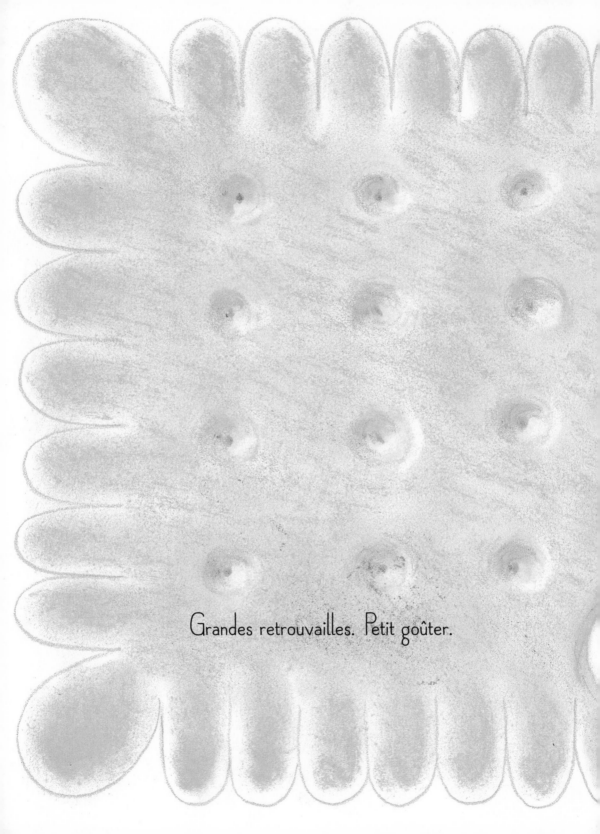

Grandes retrouvailles. Petit goûter.

Grands pas. Petite balade.

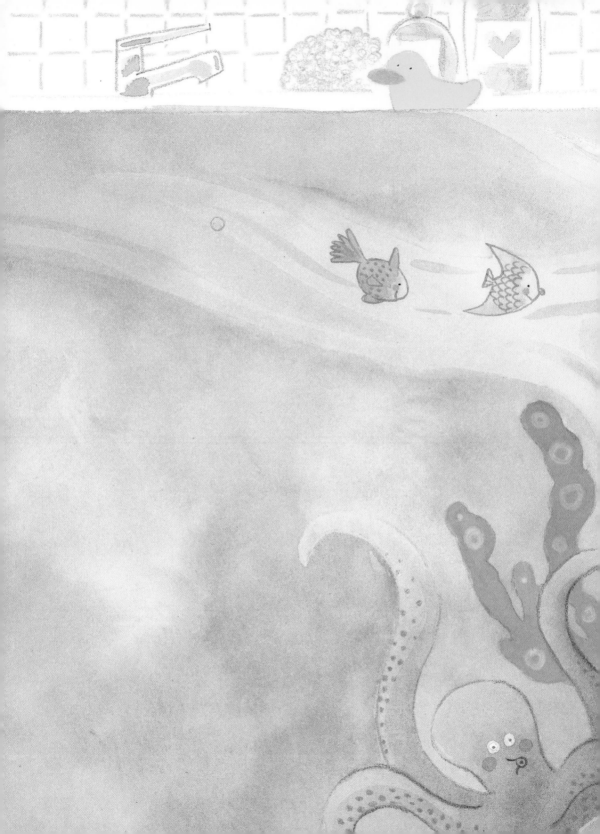

Petit canard. Grand bain.

Petit pipi. Longue nuit.

Petit câlin. Grande histoire.

Petit bisou et gros dodo...